아서 스타터 워크북 01

아서와 폭설이 내리는 날

글·그림 마크 브라운

롱테일북스

등장인물

D.W.

메리 무 카우를 좋아하는 아서의 여동생. 아서를 괴롭히는 게 취미이다.

빙키

거친 외모와 달리 의외로 섬세한 성격을 지닌 아서의 친구.

프랜신

무슨 운동이든 잘하는 아서의 친구. 활달한 성격으로 리더십이 있다.

버스터

아서의 가장 친한 친구. 탐정 놀이와 외계인을 좋아하는 특이한 성격의 소유자.

팔

아서 가족의 반려견. 사고뭉치이지만 아서를 잘 따른다.

Contents

본 워크북에 담긴 한국어 번역의 페이지는 영어 원서의 페이지와 동일하게 유지했습니다.
영어 원서를 읽다가 이해가 가지 않는 부분이 있다면, 워크북의 같은 페이지를 펼쳐 보세요! 궁금한 부분의 번역을 쉽게 확인할 수 있습니다.

영어 원서를 100 단어 기준으로 총 세 개의 파트로 나누어, 각 파트별로 다양한 액티비티를 담았습니다. 재미있게 영어 원서를 읽고 액티비티를 풀어 나가다 보면 영어 실력도 쑥쑥 향상될 것입니다!

부록으로 제공되는 MP3 CD에는 '듣기 훈련용 오디오북'과 '따라 읽기용 오디오북'의 두 가지 오디오북이 담겨 있습니다.
'듣기 훈련용 오디오북'은 원어민 전문 성우가 녹음한 오디오북으로 재미있는 효과음이 곁들여져 원서의 내용을 실감나게 이해하도록 도울 것입니다.
'따라 읽기용 오디오북'은 초보 학습자들을 위한 오디오북으로 효과음을 제거하고 조금 더 천천히 녹음한 것으로 학습용으로 사용하기에 유용할 것입니다.

“저 많은 눈을 봐!” 아서가 말했습니다. “오늘은 학교에 못 가겠는걸.”

"모두 큰 언덕에서 만나기로 했어요." 아서가 말했습니다.

아빠는 그의 고개를 저었습니다. "D.W.는 이렇게 깊이 쌓인 눈 속을 걷기에는 너무 작단다. 우리는 제설 작업이 이루어질 때까지 기다려야 해."

"아빠는 우리가 제설차를 기다려야 한다고 하세요." 아서가 말했습니다.

"그래야 한단다." 엄마가 말했습니다. "큰 언덕은 D.W.가 걸어가기에 너무 멀어."

아서는 한숨을 쉬었습니다. “음, 그렇다면, 저는 밖에 나가서 눈 속에서 놀아야겠어요.”
“나도!” D.W.가 말했습니다. “내가 옷을 입는 걸 도와줘.”

아서는 D.W.가 그녀의 방한복을 입는 것을 도와주었습니다.

“당겨!” D.W.가 말했습니다.

아서는 당겼습니다.

“밀어!” D.W.가 말했습니다.

아서는 밀었습니다.

밖에서, 아서는 눈사람을 만들기 시작했습니다.

D.W.는 그냥 우두커니 서 있었습니다.

"난 이렇게 많은 눈 속에서는 움직일 수 없어!" 그녀가 말했습니다. "난 다시 안으로 들어갈래."

"하지만 우리는 방금 나왔는걸." 아서가 말했습니다.

"**당장**!" D.W.가 말했습니다.

"우리 소로 탑 쌓기 게임 하자." D.W.가 말했습니다.

"하지만 나는 다시 밖에 나가고 싶은데." 아서가 말했습니다.

"딱 한 게임만." D.W.가 말했습니다.

"오빠가 먼저 시작하게 해 줄게."

게임이 끝나자, 아서는 다시 밖으로 나가려고 일어섰습니다.

“아직 가지 마.” D.W.가 말했습니다. “나에게 책을 읽어 줘.”

“하지만 눈이. . .” 아서가 말했습니다.

“딱 이야기 하나만.” D.W.가 말했습니다. “오빠가 읽고 싶은 것 아무거나.”

아서는 한숨을 쉬었습니다. “알겠어, 하지만 딱 하나만이야.”

FROGGIE
BIG BOOK OF
COLOR

마침내, 제설차가 큰 소리를 내며 지나갔습니다.

“좋았어!” 아서가 소리쳤습니다. “이제 우리는 갈 수 있어!”

그때 전화가 울렸습니다.

TUCKER
ELIZA
MR. BUNNY

전화를 건 사람은 프랜신이었습니다.

“안녕, 아서. 눈썰매를 타는 건 정말 좋았어!
너도 거기에 갔어야 했는데.
이런, 나 끊어야겠다. 핫초코가 나왔거든. 안녕.”

“준비되었니, 아서?” 아빠가 물었습니다.

“너무 늦었어요.” 그가 말했습니다. “저는 눈썰매 타는 것을 놓쳤어요.
저는 핫초코도 마시지 못했어요. 저는 다 놓쳤어요.”

“오, 그것 참 안됐구나.” 아빠가 말했습니다.

“나는 네가 이 새 썰매를 타 보고 싶어 할 줄 알았는데.”

“와!” 아서가 소리쳤습니다. “어서 가요!”

새 썰매는 정말 빨랐습니다.

“언덕 전체가 다 우리 차지예요!” 아서가 말했습니다.

“가끔은 말이야.” 엄마가 말했습니다. “좋은 일들은 기다리는 보람이 있단다.”

Activities

영어 원서를 총 세 개의 파트로 나누어,
각 파트별로 다양한 액티비티를 담았습니다.

각 파트의 영어 원서 페이지는 롱테일북스에서 출간된
'롱테일 에디션'을 기준으로 합니다!

Vocabulary Part 1

오늘

today

만나다

meet

언덕

hill

머리

head

작은

small

걷다; 산책, 걷기

walk

깊은

deep

기다리다

wait

제설하다; 제설차, 제설기

plow

먼, 멀리, 많이

far

한숨을 쉬다

sigh

~일 것 같다, 추측하다

guess

밖에, 밖에서

outside

놀다, (게임을) 하다

play

옷을 입다

get dressed

(특정한 활동 때 입는) 옷

suit

당기다, 끌어당기다

pull

밀다; 밀기

push

Word Review Part 1

A 알파벳을 바르게 배열하여 그림에 맞게 단어를 완성해 보세요.

1

e t m e

m

2

i a w t

3

a p y l

B 알파벳을 바르게 써넣어 그림에 알맞은 단어를 완성해 보세요.

1

today

2

ou s d

3

p h

C 그림을 보고 알맞은 단어를 퍼즐에서 찾은 뒤, 빈칸에 단어를 써 보세요.

c	t	a	d	s	u	i	t
r	m	w	n	i	o	g	l
s	i	a	k	g	a	m	k
m	s	l	d	h	v	d	a
a	u	k	p	u	o	p	e
l	r	w	o	s	r	y	b
l	t	g	u	e	s	s	p
n	s	i	q	n	d	x	o

1

walk

2

3

4

5

A 이야기의 순서에 맞게 번호를 적어 보세요.

Arthur had to wait for the plow.

Arthur helped D.W. get dressed.

1

Arthur looked at the snow.

Arthur wanted to meet his friends at the big hill.

B 각 단어에 알맞은 그림을 찾고, 이를 설명하는 문장을 찾아 바르게 이어 보세요.

head

sigh

pull

push

Arthur sighed at his mother's words.

Arthur pulled D.W.'s snowsuit.

Arthur pushed D.W.'s snow boot onto her foot.

Dad shook his head.

C 다음 그림을 보고 아래의 단어를 알맞게 넣어 문장을 완성해 보세요.

far plow get dressed

1 D.W. asked Arthur to help her ______________ .

2 The big hill was too ______________ for D.W.

3 Arthur and D.W. had to wait for the ______________ .

D 책의 내용과 일치하면 TRUE에, 그렇지 않으면 FALSE에 동그라미를 그려 보세요.

1. It was a snowy day. TRUE FALSE
2. Arthur played in the snow with his friends. TRUE FALSE
3. D.W. could walk in the deep snow. TRUE FALSE
4. Arthur pulled D.W.'s snowsuit onto her body. TRUE FALSE

E 다음 질문에 대한 알맞은 답을 골라 보세요.

What did Arthur want to do?

a. Go to school

b. Play with his parents

c. Meet his friends at the big hill

Let's Write! Part 1

A 우리말에 맞게 알맞은 짝을 찾아 바르게 연결하고 완성된 문장을 두 번씩 써 보세요.

1 Look at •	• for them to plow.
2 We have to wait •	• get dressed.
3 I'll go outside •	• all that snow!
4 Help me •	• and play in the snow.

1 저 많은 눈을 봐!

Look at all that snow!

2 우리는 제설 작업이 이루어질 때까지 기다려야 해.

3 저는 밖에 나가서 눈 속에서 놀아야겠어요.

4 내가 옷을 입는 걸 도와줘.

Vocabulary Part 2

시작하다

start

만들다

make

눈사람

snowman

서 있다, 서다 (과거형 stood)

stand

거기에, 그곳에

there

움직이다

move

눈

snow

원하다

want

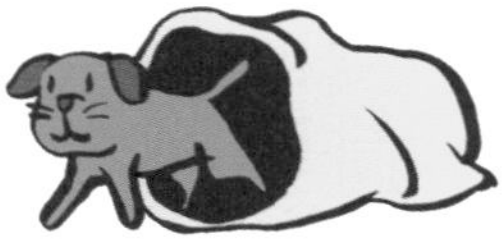

나오다, 나가다

get out

여기에, 이곳에

here

지금

now

탑

tower

젖소, 암소

cow

게임

game

맨 먼저, 우선

first

끝난

over

읽어 주다, 읽다

read

이야기

story

Word Review Part 2

A 알파벳을 이어서 알맞은 그림과 연결하고, 빈칸에 완성된 단어를 써 보세요.

r

s e t

h

r

t a e

t

f v t

s

e

o i r

r

start

B 그림을 보고 같은 색깔의 알파벳을 바르게 배열하여 빈칸에 써 보세요.

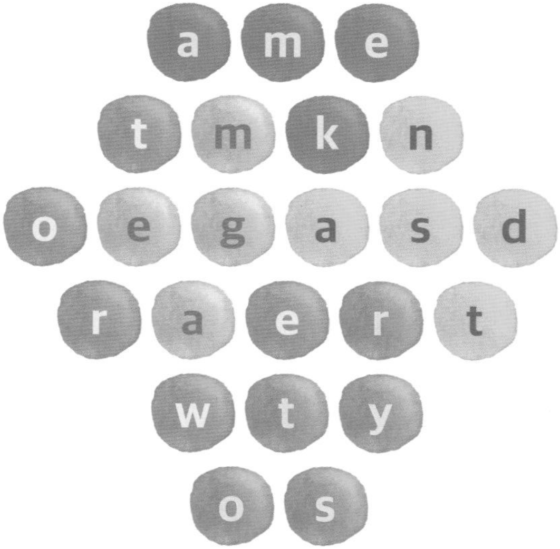

1

make

2

3

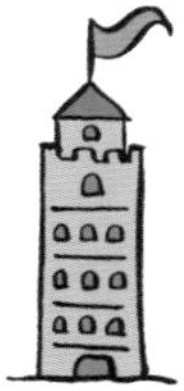

4

5

Wrap Up! Part 2

A 이야기의 순서에 맞게 번호를 적어 보세요.

D.W. wanted to play a game.

D.W. could not move in the deep snow.

Arthur started to make a snowman.

D.W. asked Arthur to read a story.

B 두 개의 문장 중 오른쪽에 있는 그림을 바르게 설명하는 문장을 골라 보세요.

1
- ⓐ Arthur didn't want to go back in.
- ⓑ Arthur didn't want to move around.

2
- ⓐ D.W. let Arthur make a snowman.
- ⓑ D.W. let Arthur play the game first.

3
- ⓐ Arthur stood up to go back outside.
- ⓑ Arthur stood up to go to his room.

4
- ⓐ "Have some hot chocolate," said D.W.
- ⓑ "Read to me," said D.W.

C 다음 그림을 보고 아래의 단어를 알맞게 넣어 문장을 완성해 보세요.

move   stand   snowman

1 Arthur was making a ______________ .

2 D.W. could not ______________ in the snow.

3 D.W. didn't want to ______________ in the deep snow.

D 책의 내용과 일치하면 TRUE에, 그렇지 않으면 FALSE에 동그라미를 그려 보세요.

1. D.W. wanted to play in the snow. TRUE FALSE
2. D.W. didn't let Arthur go back outside. TRUE FALSE
3. After the game, Arthur wanted to read a story. TRUE FALSE
4. Arthur read D.W. the book she wanted. TRUE FALSE

E 다음 질문에 대한 알맞은 답을 골라 보세요.

What did D.W. NOT ask Arthur to do?

a. Read a story to her

b. Play a game with her

c. Make a snowman for her

Let's Write! Part 2

A 오늘 공부한 문장을 따라 써 보세요.

1 아서는 눈사람을 만들기 시작했습니다.

Arthur started to make a snowman.

2 D.W.는 그냥 우두커니 서 있었습니다.

D.W. just stood there.

3 하지만 우리는 방금 나왔는걸.

But we just got out here.

4 우리 소로 탑 쌓기 게임 하자.

Let's play Tower of Cows.

5 오빠가 먼저 시작하게 해 줄게.

I'll even let you go first.

6 아서는 다시 밖으로 나가려고 일어섰습니다.

Arthur stood up to go back outside.

Vocabulary Part 3

마침내

finally

굉음을 내며 질주하다

roar

소리치다, 외치다

shout

(벨이) 울리다 (과거형 rang)

ring

썰매를 타다; 썰매

sled

정말 좋은, 기쁜

great

준비가 된

ready

늦은, 지각한

late

(기회 등을) 놓치다

miss

모든 것, 모두

everything

안 좋은, 나쁜

bad

해 보다, 시도하다

try out

새로운

new

빠른

fast

전체의

whole

가끔, 때때로

sometimes

좋은

good

~할 가치가 있는

worth

Word Review Part 3

A 그림을 보고 알파벳 속에서 맞는 단어를 찾아 빈칸에 써 보세요.

elreadywieverythingadzrgoodfegworthnsersometimesrnfastxps

1

ready

2

3

4

5

6

B 그림을 보고 알맞은 단어를 퍼즐에 넣어 완성한 뒤, 빈칸에 단어를 써 보세요.

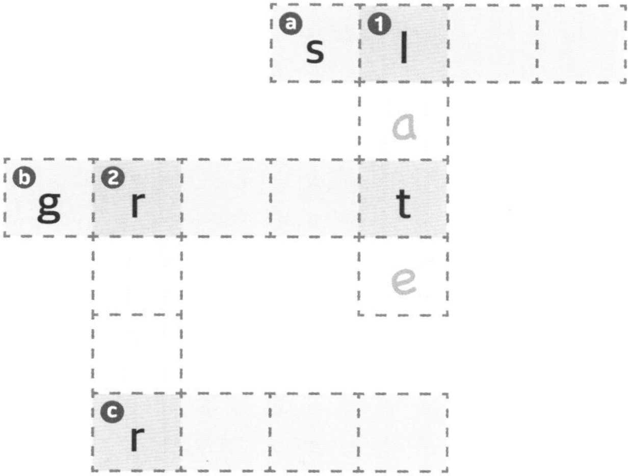

❶

late

❷

ⓐ

ⓑ

ⓒ

Wrap Up! Part 3

A 이야기의 순서에 맞게 번호를 적어 보세요.

Arthur's family had fun
at the big hill.

Arthur thought
that he missed everything.

In the end, Arthur enjoyed
the snowy day.

Arthur's friends had
already finished sledding.

B 그림의 각 부분을 올바르게 설명하는 문장을 찾아 빈칸에 맞는 기호를 넣어 보세요.

ⓐ Arthur was reading a story to D.W.

ⓑ The plow roared by Arthur's house.

ⓒ Arthur was happy to see the plow.

ⓓ The phone started to ring.

C 다음 그림을 보고 아래의 단어를 알맞게 넣어 문장을 완성해 보세요.

late ready miss

1 Dad asked Arthur if he was ______________ .

2 Arthur thought that it was too ______________ .

3 Arthur was sad to ______________ all the fun.

D 책의 내용과 일치하면 TRUE에, 그렇지 않으면 FALSE에 동그라미를 그려 보세요.

1. Buster called Arthur. TRUE FALSE
2. Dad gave Arthur a cup of hot chocolate. TRUE FALSE
3. Arthur tried out his new sled with his friends. TRUE FALSE
4. Arthur's new sled was really fast. TRUE FALSE

E 다음 질문에 대한 알맞은 답을 골라 보세요.

What made Arthur feel bad?

a. Francine got a new sled.

b. The plow didn't come by his house.

c. He missed the sledding with his friends.

Let's Write! Part 3

A 우리말에 맞게 네모 안에 있는 말을 바르게 배열해 보세요.

1 이제 우리는 갈 수 있어!

can	Now	we	go
~할 수 있다	이제	우리는	가다

Now we ______________________ !

2 눈썰매를 타는 건 정말 좋았어!

was	great	The sledding
~이었다	정말 좋은	눈썰매를 타는 것은

______________________ !

3 준비되었니?

you	ready	Are
너는	준비된	~이니

______________________ ?

4 저는 핫초코도 마시지 못했어요.

missed 마시지 못했다	the hot chocolate 핫초코를	I 나는

.

5 새 썰매는 정말 빨랐습니다.

was ~이었다	The new sled 새 썰매는	really 정말	fast 빠른

.

6 좋은 일들은 기다리는 보람이 있단다.

are ~이다	Good things 좋은 일들은	waiting for 기다리는	worth ~할 보람이 있는

.

Answers

Part 1

Word Review

A

1 

etme

meet

2 

iawt

wait

3 

apyl

play

B

1 

today

2 

outside

3 

push

C

c	t	a	d	s	u	i	t
r	m	w	n	i	o	g	l
s	i	a	k	g	a	m	k
m	s	l	d	h	v	d	a
a	u	k	p	u	o	p	e
l	r	w	o	s	r	y	b
l	t	g	u	e	s	s	p
n	s	i	q	n	d	x	o

1 

walk

2 

sigh

3 

guess

4 

suit

5 

small

Wrap Up!

A

3 Arthur had to wait for the plow.

4 Arthur helped D.W. get dressed.

1 Arthur looked at the snow.

2 Arthur wanted to meet his friends at the big hill.

B

head

sigh

pull

push

Arthur sighed at his mother's words.

Arthur pulled D.W.'s snowsuit.

Arthur pushed D.W.'s snow boot onto her foot.

Dad shook his head.

C

1. D.W. asked Arthur to help her get dressed .
2. The big hill was too far for D.W.
3. Arthur and D.W. had to wait for the plow .

D 1 TRUE 2 FALSE 3 FALSE 4 TRUE

E c

Let's Write!

A

1. Look at — all that snow!
2. We have to wait — for them to plow.
3. I'll go outside — and play in the snow.
4. Help me — get dressed.

Part 2

Word Review

A

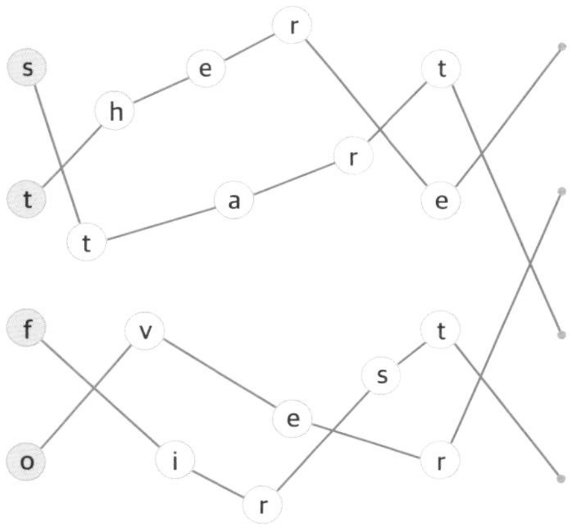

there

over

start

first

B

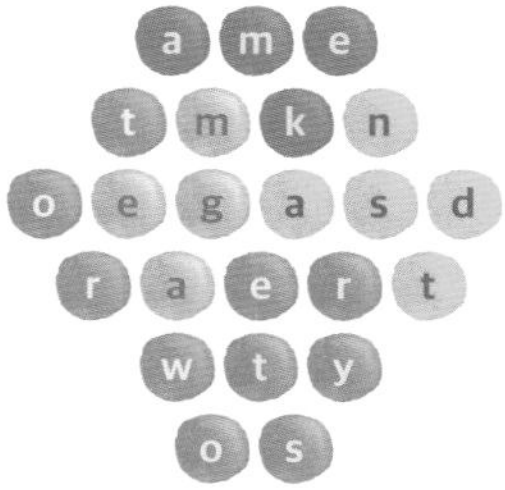

1 
make

2 
stand

3 
tower

4 
game

5 
story

Wrap Up!

A

3 D.W. wanted to play a game.

2 D.W. could not move in the deep snow.

1 Arthur started to make a snowman.

4 D.W. asked Arthur to read a story.

B

1 a 2 b 3 a 4 b

C

1 Arthur was making a snowman .

2 D.W. could not move in the snow.

3 D.W. didn't want to stand in the deep snow.

D

1 FALSE 2 TRUE 3 FALSE 4 FALSE

E

c

Part 3
Word Review

A

elreadywieverythingadzrgoodfegworthnsersometimesrnfastxps

1 
ready

2 
everything

3 
fast

4 
worth

5 
sometimes

6 
good

B

			ⓐ s	① l	e	d
				a		
ⓑ g	② r	e	a	t		
	o			e		
	a					
	ⓒ r	i	n	g		

1 
late

2 
roar

a 
sled

b 
great

c 
ring

Wrap Up!

A

Arthur's family had fun at the big hill.

Arthur thought that he missed everything.

In the end, Arthur enjoyed the snowy day.

Arthur's friends had already finished sledding.

B

C

1. Dad asked Arthur if he was ready .
2. Arthur thought that it was too late .
3. Arthur was sad to miss all the fun.

D 1 FALSE 2 FALSE 3 FALSE 4 TRUE

E c

Let's Write!

A

1. Now we can go!
2. The sledding was great!
3. Are you ready?
4. I missed the hot chocolate.
5. The new sled was really fast.
6. Good things are worth waiting for.

More Arthur Stories to Read!

재미있는 내용을 쉬운 문장과 간결한 표현으로 풀어 낸 기초 원서,
『아서 스타터(Arthur Starter)』 시리즈

아이들의 눈높이에 맞춘 유쾌한 이야기!
실생활에 바로 적용할 수 있는 영어 표현!

ARTHUR AND THE BIG SNOW

아서와 폭설이 내리는 날

초판 발행	2022년 1월 3일
글·그림	마크 브라운
번역및콘텐츠감수	유아름 정소이
콘텐츠제작참여	기나현 선생님(경기 고양 일산중) 김수정 선생님(경기 부천 계남초) 이재영 선생님(서울 영등포 영림초) 임소연 선생님(경기 동두천 생연초)
영문감수	Julie Tofflemire
책임편집	유아름 정소이 김보경
디자인	모희정 이강효
저작권	김보경
마케팅	김보미 정경훈
기획	김승규
펴낸이	이수영
펴낸곳	롱테일북스
출판등록	제2015-000191호
주소	04033 서울특별시 마포구 양화로 113(서교동) 3층
전자메일	helper@longtailbooks.co.kr
ISBN	979-11-91343-25-0 14740